Y0-BZZ-400

IL MUSEO DELL'OPIFICIO
DELLE PIETRE DURE
A FIRENZE

CAPOLAVORI

•

THE MUSEUM OF OPIFICIO DELLE PIETRE DURE
IN FLORENCE

MASTERPIECES

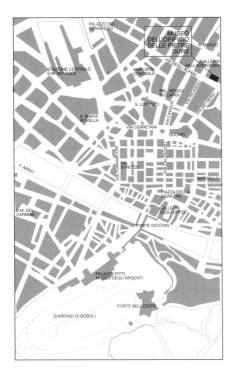

MUSEO DELL'OPIFICIO
DELLE PIETRE DURE
Via degli Alfani, 78

Firenze

Per informazioni
tel. 055-294115

linee ATAF per piazza San Marco

Visite guidate per gruppi
su prenotazione

THE MUSEUM OF OPIFICIO
DELLE PIETRE DURE
Via degli Alfani, 78

Florence

Information:
tel: +39-55-294115

ATAF bus line
to Piazza San Marco

Guided tours for parties
available on request
(we advise to get a
reservation)

Internet http://www.dada.it/propart/opd.htm
E-mail: opd@dada.it

IL MUSEO DELL'OPIFICIO DELLE PIETRE DURE A FIRENZE

CAPOLAVORI

THE MUSEUM OF OPIFICIO DELLE PIETRE DURE IN FLORENCE

MASTERPIECES

a cura di Annamaria Giusti
direttrice del Museo

by Annamaria Giusti
Museum Director

sillabe

ISBN 88-86392-23-0

s i l l a b e
della Cooperativa Livorno:
Nouvelles Frontières
scali d'Azeglio, 32 - 57123 Livorno
tel. 0586/884629 - fax 0586/210859

coordinamento editoriale / editorial coordination:
Maddalena Paola Winspeare
grafica / graphic design:
Laura Belforte
foto / photographs:
Paolo Tosi
pp. 7, 8, 10 Mario Ciampi
impianti fotolitografici / photolitographs
La Nuova Lito - Firenze
traduzione / translation:
Edoardo Demi

Chi a Firenze, abitante o visitatore di passaggio, riesca a fendere la fila che aspetta di vedere il David di Michelangelo (per domandare magari quanto è alto e quanto pesa quel gran blocco di marmo), potrà scoprire proprio dietro l'angolo della Galleria dell'Accademia un piccolo ma prezioso museo. Doppiamente prezioso, oserei dire, sia per il tipo di opere che raccoglie, che per la veste accogliente con cui si apre al visitatore, dopo che da poco più di un anno è stato interamente riallestito.

Ma quando e da cosa nasce, questo Museo dal nome quanto meno singolare di "Opificio delle Pietre Dure"? Già questa definizione ci mette sulla strada per capire che qui le pietre dure servivano per essere lavorato, anche se forse potrà sorprenderci venire a sapere che questa manifattura fu attiva per oltre tre secoli, dal 1588 alla fine dell'Ottocento, e che la sua notorietà si estese a tutta l'Europa. Conoscevamo Firenze come città artistica per

Everybody in Florence, being him or her a Florentine or simply a visitor, is able to force the queue's way through the crowd waiting for seeing Michelangelo's David (right to ask how tall that is and about the weight of that big marble block), will be able to find out a tiny but precious valuable museum just round the corner of the "Galleria dell'Accademia". I would personally run the risk to state it is particularly valuable, both because of that sort of art works it exhibits and the way it welcomes the visitor, especially after it had been entirely re-arranged since more than a year ago.

However, when was that museum having a so particular name of "Opificio delle Pietre Dure" born? And, why? The name itself pathes us the way to understand that was the place where semi-precious stones were manufactured, even if we could be surprised to learn this manufacturing had worked for over three centuries, from 1588 until the end of 19th century, and that it became famous all over

Il cortile con il deposito di materiali lapidei.
The yard with the stony materials store-house.

eccellenza, dove spiccano i nomi sommi di Giotto, Brunelleschi, Masaccio, Botticelli, Leonardo (e naturalmente Michelangelo e il suo David!), e può essere curioso scoprire che anche nei secoli successivi, quando l'immagine di Firenze sbiadisce un po' nel campo delle arti dette "maggiori", la città guadagna un indiscusso primato in un'arte difficile e suggestiva come è quella della lavorazione delle pietre dure.

Furono i Medici, grandi mecenati e collezionisti di tutti i possibili generi artistici, a ravvivare nel Cinquecento una passione che già avevano avuto Lorenzo il Magnifico e i suoi predecessori, che avevano ricercato e comprato i cammei, le gemme e i vasi più rari creati dagli artefici greci e romani. Ma in seguito i figli del primo Granduca di Firenze, Cosimo, vollero fare di più, gareggiando con l'abilità degli antichi e facendola rivivere in Firenze nell'attività dei maestri specialisti nella lavorazione delle pietre dure, che proprio perché tali richiedono un'abilità tecnica particolare.

In un primo tempo, a fine '500, questi artefici vennero "importati" da Milano, dove da sempre si lavorava il duro e trasparente cristallo di rocca, ma quando nel 1588 Ferdinando I de' Medici fondò ufficialmente la manifattura delle pietre dure, che si chiamava allora "Galleria dei Lavori", accanto ai maestri milanesi fecero presto esperienza anche gli artefici fiorentini o dell'Europa del Nord, che la corte dei Medici attirava numerosi, dando da lavorare a un ambiente cosmopolita.

La lavorazione che più venne perfezionata a Firenze, e a cui per secoli restò affidata la fama della manifattura granducale, fu quella dei mosaici o "commessi", come erano definiti, per indicare che si trattava di composizioni a mosaico di pietre dure, tagliate in sezioni di forme diverse, che erano poi "commesse" insieme con tanta precisione che le zone di contatto fra una sezione e l'altra restavano praticamente invisibili. Queste creazioni, che potevano servire per quadri da parete, come per tavoli, scacchiere, stipi, cofanetti e i più svariati generi di arredi, erano poeticamente indicate anche come "pitture di pietra", mentre noi oggi, con termine più sbrigativo ma immediatamente comprensibile, le chiameremmo "puzzles". Solo che invece di trovarsi tra le mani dei frammenti di cartoncino, da ricomporre pazientemente, gli artefici dei Medici dovevano tagliare con un seghetto e con lenta fatica le lastrine sagomate delle diverse pietre, e riunirle insieme con un complicato procedimento. Per non dire poi dell'intervento degli altri specialisti, del bronzo, dell'ebano, dei metalli preziosi, degli smalti, che spesso intervenivano a completare le creazioni dei maestri di pietre dure, componendo assiemi di una preziosità e spettacolarità invidiata dalle corti di tutta Europa.

D'altronde uno dei motivi della passione che tutti i Granduchi medicei ebbero per la loro manifattura fu anche questo: dimostrare ai sovrani di Stati più importanti e potenti della piccola Toscana che questa disponeva di speciali risorse finanziarie e artistiche, indispensabili per creare questi capolavori di arte suntuaria. L'Opificio era insomma il fiore all'occhiello dei Medici, e dopo di loro degli Asburgo Lorena che dal 1737 regnarono sul Granducato. Solo quando questo mondo antico e dorato tramontò definitivamente, nel secolo scorso e in Italia con la formazione

Europe.

We knew Florence as a pre-eminently artistical city, where the outstanding names of Giotto, Brunelleschi, Masaccio, Botticelli, Leonardo (and obviously Michelangelo and his David!) stand out, and discovering that even in the following centuries the city earns an unquestioned supremacy in a field such as the difficult and suggestive art like working on semi-precious stones can be curious enough, since the fame of Florence is a bit fading away in the field of the so-called greatest arts.

We owe to the Medici, a family of great art patrons and collectors of any possible artistical genre if that interest, which Lorenzo il Magnifico and his predecessors had already had, was restored, since they searched for cameos, gems and the rarest vases which had been created by Greek and Roman craftsmen. Later on, the sons of the first Grand-Duke of Florence, Cosimo, wanted to do something more competing with the ancient artists' ability and to let that live again in Florence by the masters' activity specialized in working semi-precious stones, which require a so particular technical ability according to their nature.

At the beginning, in the late 16th century, those skillful craftsmen and artists were imported from Milan, where the hard and transparent quartz crystal had been worked since ever, but when Ferdinando I de' Medici officially founded the semi-precious stones workshop in 1588, whose name was "Galleria dei Lavori" at that time, with the craftsmen masters from Milan even the Florentine ones could get their own experience, since the Medici's court, giving job opportunities, drew and attracted a cosmopolitan environment.

The kind of processing which was mainly perfectioned in Florence, and to which the fame of the Granducal manufacturing was entrusted, was the one of mosaics or "commessi", as they were defined in order to indicate they were semi-precious stones mosaic works, which were made cutting those stones in different shape sections that, later, were so precisely assembled together that the contact zones between each section practically resulted as invisible. That sort of creations, which could be utilized as wall

Vista sul salone di ingresso del Museo.
View of the Museum entrance hall.

I banchi da lavoro con i castelletti e le vetrine delle pietre.
The work desks with the so-called "castelletti"- wooden or iron tools used as a support to lathe wheels - and the stones show-cases.

del nuovo Stato unitario, non ci fu più spazio per questi tesori nati per le regge.

Ma tra l'Opificio di un tempo e quello di oggi non c'è stata cesura: mentre alla fine del secolo scorso l'attività stava gradualmente diminuendo, per trasferirsi poi nel campo nascente del restauro delle opere d'arte, andava pian piano prendendo forma il Museo, germogliato direttamente dalla manifattura. E' questo che rende il Museo dell'Opificio abbastanza speciale: non si è costituito per le scelte di un collezionista o per una serie di eventi più o meno casuali, come è avvenuto per tanti musei, ma si è trattato semplicemente di rendere visibile a tutti (e speriamo che il recente riallestimento lo abbia fatto in modo gradevole e chiaro) quanto qui si trovava da secoli. Sono lavori diversi, a volte non finiti oppure ritornati in seguito alla sede d'origine; riserve variatissime di pietre rare raccolte instancabilmente dai Granduchi ad uso della manifattura; modelli e disegni che servivano di base ai "commessi"; banchi e strumenti da lavoro, che risalgono al Settecento e anche oltre, perché nella manifattura granducale si producevano tesori ma si amministrava con parsimonia, non buttando

via nulla, per intenderci.

Insomma in altri musei, e nei maggiori di tutto il mondo, è possibile imbattersi in opere grandiose o squisite prodotte dalla manifattura, più belle spesso di quelle rimaste all'Opificio, ma solo qui si può percorrere e capire la storia di tre secoli di una manifattura artistica, penetrare da vicino la suggestione di queste creazioni della natura e dell'arte, carpirne i segreti tecnici e, forse, cogliere ancora qualcosa dell'atmosfera di un mondo scomparso, che ordinatamente e laboriosamente creava bellezza.

pictures, tables, chess-boards, cabinets, caskets or jewel boxes as well as the various pieces of furniture, were poetically defined as "stone paintings", while nowadays we would call them puzzles, using a quicker but immediately understandable term. Anyhow, the craftsmen the Medici engaged had to cut the stones using a small saw and in a very tiring and slow way they had to give the appropriate shape to the many tiny stone plates and, then, putting them together by a complicate proceeding, instead of working on cardboard fragments. Then, we could go on speaking about the partecipation of all the other experts, in bronze and noble metals working, cabinets making and enamel painters, who often took part in completing the creations of the semi-precious stones masters, assembling together such works as valuable as spectacular which rose the envy of any European court.

On the other hand, that was one of the reason by which every Medicean Grand-Duke loved his manufacture: showing the sovereigns of more important and powerful countries than Tuscany that had special financial and artistical resources, necessary to create those masterpieces of sumptuary art. The Opificio was, so, the Medici's button-hole, and after them it was the same for the Asburgo Lorena who followed them, ruling the Grand Duchy starting from 1737. However, when that ancient and golden world declined for good last century, particularly in Italy when the new unitary State was constituted, there was not room anymore for those treasures which were born for the royal palaces.

Anyway, no interruptions had been carried out between the Opificio of that time and the one of nowadays: while in the late 19th century its activity was gradually decreasing and consequently aiming to the rising field of art works restoration, the Museum was slowly being born, directly springing up from the manucfature. The "Museo dell'Opificio" is quite special because of that: it was not created by an art collector's choices or a more or less casual series of events, like for many other museums, but the aim had been to make everybody able to see whatever has been exhibited here for ages (and we really hope the recent re-arranging had made things simplier and easier to the visitor).

Different works, sometimes unfinished or which came back to the original seat in a second time are here dealt with; several reservations of rare precious stones the Grand-Dukes perpetually collected in order to be used in the manufacturing; models and drawings which served as patterns to "commessi"; desks or tools, dating to the 18th century and even older, since the Grand-Ducal manufactury produced some treasures, parsimoniously managing the factory, not throwing away anything which could be considered useful some way.

So, in other museums, especially in the largest ones all over the world, we can find great or exquisite art works which had been made by the workshop, often even more beautiful than the ones which are still at the Opificio; however, here only we can run along and understand three centuries of artistical manufacture, getting deep the charm of those creations of nature and art, catching their technical secrets and, maybe, gathering something of the atmosphere of a disappeared world, which methodically and ardously created beauty.

Veduta delle sale ottocentesche.
View of the 19th century halls.

Coppa in cristallo di rocca, del secolo XVI, proveniente dalle raccolte medicee.

Il tipo di quarzo incolore e trasparente, conosciuto come "cristallo di rocca", fu lavorato e apprezzato anche nel Medioevo, perché aveva "la sottigliezza dell' aria e la trasparenza dell' acqua". Al fascino estetico si aggiungeva l' interpretazione simbolico-religiosa di questa pietra, che sembrava racchiudere in sé la luce divina, e ben si prestava per oggetti liturgici come reliquiari, croci, ostensori. Nel Rinascimento, il cristallo di rocca fu usato soprattutto per vasellami e arredi profani, spesso impreziositi da legature orafe, molto ricercati dalle corti e dai collezionisti del tempo.
Uno dei centri specializzati nella produzione di questi sofisticati oggetti fu nel '500 Milano, dove si rifornivano anche i Granduchi di Firenze, fino a che Francesco I de' Medici riuscì a far trasferire presso la sua corte due botteghe di artefici milanesi, creando a Firenze una duratura tradizione nella difficile tecnica dell' intaglio in pietre dure.

Quartz crystal 16th century bowl, coming from the Medicean collections.

The colourless and transparent quartz, known as "cristallo di rocca", was manufactured and appreciated even during the Middle Ages, since it was "as thin as the air and had the same water transparency". This semiprecious stone is endowed with a clear aesthetical charm, but we cannot forget its symbolical and religious interpretation, because it seemed to get in itself the "divine light", so that it was suitable for liturgical objects, such as shrines, crosses, ostensories. During the Renaissance, quartz crystal was employed in profane glassware and pieces of furniture, often made precious by golden settings the courts and collectors of that time had been seeking for so long. Milan was a specialized centre in the production of that sort of sophisticated things in the 16th century; there, the Grand-Dukes of Florence also supplied themselves, until Francesco I de' Medici was able to make two Milanese workshops move to his own court, giving birth to the durable tradition of the difficult engraving art of semi-precious stones in Florence.

Piano in legno con rivestimento di pietre dure. Copia moderna da un originale cinquecentesco.

L' originale, di cui il piano dell' Opificio è la copia fedele, si trova al Museo di Mineralogia di Firenze, dove sono confluiti parecchi oggetti in pietre pregiate delle collezioni medicee. E' probabile che si tratti in questo caso di quanto rimane di uno stipo ligneo, probabilmente smembrato e disperso quando questo tipo di antiche "casseforti" non era più di moda. Negli stipi si custodivano infatti gioielli, monete e altre preziosità, che il collezionista poteva ammirare disponendole su un piano estraibile come quello che qui si presenta, e che era chiamato "tiretto".
La copia è stata eseguita, con gli stessi materiali e disegno dell' originale, nei laboratori dell' Opificio, dove dopo quattro secoli ancora sussistono preziose riserve di pietre medicee e la rara capacità di lavorarle secondo la tecnica antica.

Semi-precious stones plated wooden board. Modern copy from an original work of the 16th century.

The original, of which the wooden board exhibited at the Opificio is a perfect copy, is kept at the Museo di Mineralogia in Florence, where lots of valuable stones objects of the Medicean collections came together. Perhaps, that is what was left of a wooden cabinet, probably broken up and lost when this kind of ancient "security boxes" became out of fashion. Infact, jewels were kept into those cabinets, together with coins and other precious things, which the collector could admire placing them on an extractable board like the one here shown, called "tiretto".
That copy had been made using the same materials according to the original design in the Opificio workshop, where after four centuries precious supplies of Medicean stones as well as the same skill in manufacturing them according to the old technique can still be found.

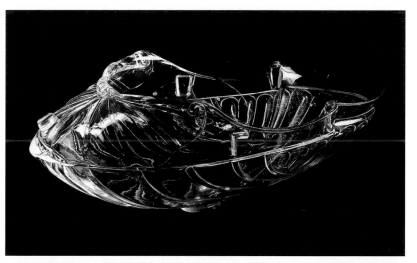

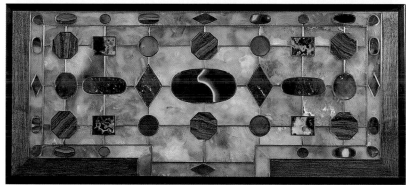

13

Pannello con vaso di fiori, a commesso di pietre dure e tenere, del secolo XVI.

Panel with vase and flowers, with semi-precious stones mosaic, dating back to the 16th century.

Dopo i primi mosaici di pietre dure che componevano decorazioni geometriche, già alla fine del secolo gli artefici impegnati a lavorare per i Medici erano in grado di affrontare immagini più complesse, come in questa serie di grandi pannelli che in origine comprendeva 12 pezzi, di rivestimento alle pareti di un oratorio della villa del Poggio Imperiale. Al vaso con i fiori, si alternava un alberello di arance su fondo bianco traslucido, di cui resta un unico esemplare al Victoria and Albert Museum di Londra.
Oltre all'eleganza dell'invenzione, è da ammirare in queste opere il gusto con cui sono accostati diaspri pregiati, come quelli rossi e bianchi di Barga o verdi di Corsica, con marmi comuni in Toscana come il bardiglio grigio, che pure si colloca perfettamente nell'assieme. Un piccolo artifizio rende più luminoso il lilium che corona il mazzo di fiori, e che è realizzato in calcedonio trasparente, foderato da una lamina metallica colorata.

After the first examples of semi-precious stones mosaics which made up some geometrical decorations, even at the end of that century those craftsmen working for the Medici were able to create more complex pictures, such as in this series of large panels which originally included 12 pieces, covering the oratory walls of the Villa del Poggio Imperiale. A small orange-tree on a translucido white background was alternated to the vase with flowers, of which an only pattern remains shown at Victoria and Albert Museum in London.
Besides the elegance of the invention, the fine taste in justaposing highly esteemed jaspers is to be admired, such as the red and white ones from Barga and the green ones from Corsica, with common types of marbles being found in Tuscany such as the grey "bardiglio", which wonderfully sets itself in the whole composition. A special device makes the lilium crowning the flower bunch more luminous: it is made of transparent chalcedony, plated by a coloured metallic thin layer.

Cornice per stemma, in pietre tenere e madreperla su marmo bianco. Fine del secolo XVI.

Chi vada a visitare la Cappella dei Principi, tappa obbligatoria a Firenze per gli appassionati di pietre dure, troverà che nel perimetro del grande interno ottagonale sono incastonati gli stemmi delle principali città del Granducato di Toscana, entro cornici identiche a questa conservata nel museo, e che forse servì da prototipo per le altre. Il lavoro fu commissionato da Ferdinando I de' Medici, che fondò la Cappella come grande mausoleo della famiglia granducale, ma i colori prescelti per queste cornici sono tutt'altro che funerei. Sul marmo bianco apuano della lastra di fondo sbocciano le tonalità primaverili dei marmi archeologici, come il verde antico maculato di bianco, la lumachella che include conchiglie fossili, il dorato giallo antico, ravvivati dagli inserti luminosi della madreperla.

Frame for coat of arms, realized with soft stones and mother-of-pearl on white marble. Late 16th century.

Everybody who goes and visits the Cappella dei Principi, which is a must in Florence for those ones who are fond of semi-precious stones, will find that inside its large octagonal perimeter the coat of arms of the main cities of Granducato di Toscana are embodied within frameworks which are identical to this one shown in the Museum. Maybe, it was also used as a prototype for the others which followed. The work was commissioned by Ferdinando I de' Medici, who founded the Chapel as a big mausoleum of the Grand-Ducal family; the colours which had been chosen for these special frames are, however, everything but mournful. The spring tonalities of the archeological marbles stand out the white marble coming from the Alpi Apuane of the background slab: the old green spotted with white, the "lumachella" or fire-marble which includes fossile shells, or the golden old yellow, which are all made even livelier by the bright inclusions of mother-of-pearl.

Stemma Medici Lorena, in pietre tenere e madreperla. Fine del secolo XVI.

Medici Lorena's coat for arms, executed in soft stones and mother-of-pearl. Late 16th century.

Nel 1590 Ferdinando I de' Medici, divenuto Granduca tre anni prima, celebrava le sue nozze con Cristina di Lorena, nipote prediletta della regina di Francia Caterina de' Medici. E' probabile che nell'occasione sia stato realizzato dalle botteghe granducali questo stemma, che unisce insieme le insegne delle due casate, Medici e Lorena. Le cornucopie che con elegante disegno rinserrano ai lati lo stemma sono simbolo di prosperità, ben intonato ad un evento nuziale.

Sopra lo stemma, svetta la corona granducale, con al centro il giglio di Firenze, che riproduce fedelmente quella in oro e gemme realizzata alcuni anni prima per Francesco I de' Medici, e che essendo andata perduta ci è conosciuta attraverso alcuni ritratti medicei.

In 1590 Ferdinando I de' Medici, who became Granduca three years before, got married to Cristina di Lorena, the favourite niece of Caterina de' Medici Queen of France. Perhaps, right on that occasion, this coat for arms had been made by the Grand-Ducal workshop, since it joins the two families' signs together, Medici and Lorena. The cornucopias, which elegantly stand at the two sides of the coat for arms, symbol of prosperity, well harmonized with a wedding.

Above the coat for arms, the Grand-Ducal crown is set with, in its centre, the Florentine fleur-de-lis; that crown faithfully reproduces the golden one enriched with precious gems which was made for Francesco I de' Medici some years before and, being lost, we know about it by some Medicean portraits.

Formella con vaso di fiori, a commesso di pietre dure, degli inizi del secolo XVII.

In coppia con un'altra identica, la formella era destinata ad uno sfavillante tempietto di pietre dure, oro e argento, coronato da una cupola di cristallo di rocca, che doveva sorgere al centro della monumentale Cappella dei Principi e che non fu mai ultimato.

Il tema del vaso di fiori fu tra i preferiti dai mosaici di pietre dure, che lo riproposero più volte, con fantasia sempre inesauribile: queste due piccole formelle ne offrono una versione di delicata raffinatezza, nel disegno del vaso che ricorda quelli delle collezioni medicee, in pietra dura con montature di metalli preziosi, e nella freschezza primaverile dei giacinti e degli altri fiori che spiccano con le loro vivide cromie sul fondo scuro di paonazzetto di Fiandra.

Tile with flowery vase, in semiprecious stones mosaic, dating back to the 17th century.

This special tile, together with another identical one, was destined to a bright semi-precious stones small temple, even decorated with gold and silver and crowned by a quartz crystal dome; that had to be built in the centre of the monumental Cappella dei Principi and never finished.

The subject of the vase with flowers was among the favourite ones by mosaics craftsmen who worked using semi-precious stones and that was proposed several times with inexhaustible imagination: these two tiles represent a particular version of delicate refinement, either because of the vase design which reminds to those of the Medicean collections, executed in semi-precious stones with noble metals refinings, or the spring freshness of the hyacynths as well as the other flowers which stand out with their vivid shade of colour on the dark light purple of Flanders of the background.

Elia e l'angelo, commesso di pietre dure. 1612 circa.

Questo pannello, assieme ad altri di tema biblico e paesistico, proviene dall'altare incompiuto per la Cappella dei Principi, al quale le botteghe granducali lavorarono per tutta la prima metà del '600.
La scena, tratta dal Vecchio Testamento, presenta l'episodio del profeta Elia ormai disposto a morire nel deserto, e l'angelo inviato a nutrirlo e rianimarlo.
L'ignoto autore del modello pittorico, che è servito di base al mosaico di pietre dure, ha ambientato la scena biblica non in una landa desolata, ma in un familiare paesaggio toscano, dove non mancano neppure una cappellina affiancata da un cipresso, ed un fiume di opalescente calcedonio, che sembra riflettere le nubi del cielo. Quanto alle due figure, non si sa se restare più ammirati dal filo d'oro inserito a bordare il manto di diaspro rosso di Elia, o dalle sfumature vibranti della veste di lapislazzulo dell'angelo, che ancora sembra conservare il movimento del volo.

Elijah and the angel. Semi-precious stones mosaic. About 1612.

This panel, with some others representing Biblical and landscape subjects, comes from the unfinished altar destined to the Cappella dei Principi, the Grand-Ducal workshop had been worked for the whole first half of the 17th century. The scene, inspired by the Old Testament, illustrates the episode of the prophet Elijah who is to be dying in the desert and the Angel sent to feed and relieve him. The unknown author of the pictorial pattern, which served as a base to the semi-precious stones mosaic, had set the Biblical scene in a familiar Tuscany landscape and not in a waste land; we can also see a small chapel placed next to a cypress and an opalescent chalcedony river which seems to reflect the clouds in the sky. Regarding the two characters, we have to decide if being amazed by the golden thread inserted in order to edge Elijah's red jasper mantle, or by the vibrating nuances of the Angel's lapis-lazuli clothes, that Angel who still looks like flying.

Melchisedec presso l'Arca Santa, commesso di pietre dure degli inizi del secolo XVII.

Anche questo pannello è dedicato a un episodio della Bibbia, con Melchisedec, re di Salem e sacerdote, che attende presso l'Arca Santa il ritorno di Abramo vittorioso.
Questo mosaico, che assieme agli altri destinati all'altare per la Cappella dei Principi è tra i gioielli delle raccolte dell'Opificio, testimonia come a pochi anni di distanza dalla loro fondazione (1588) le botteghe fiorentine avessero già pienamente corrisposto all'ambizione del Granduca Ferdinando I, di creare una "pittura di pietra" in grado di raggiungere e magari superare gli effetti della tavolozza dei pittori. Quello che meraviglia in queste opere non è solo la straordinaria precisione nel taglio delle sezioni di pietra, le cui connetture sono praticamente invisibili, ma soprattutto la capacità di sfruttare e valorizzare con magica fantasia la gamma naturale delle pietre.

Melchizedek by the holy ark. Semi-precious stones mosaic of the early 17th century.

This panel too, is dedicated to a Biblical episode, with Melchizedek, King of Salem and priest, who is waiting for the victorious Abraham's return by the Holy Ark.
This mosaic, which is considered among the others destined to the altar of the Cappella dei Principi a fine jewel among the collections of the Opificio, testifies that workshop in Florence had already completely given an answer to Granduca Ferdinando's I ambitions, only a few years later its foundation (1588); infact, those ambitions consisted in creating a "stone painting" able to reach or exceed the painters' colours palette effects. What makes us wonder about those art works is not only the extraordinary precision in cutting the small stone pieces, whose joining is practically invisible, but above all the ability to exploit and make the most of the natural range of stones by a magic imagination.

Giona e la balena, commesso di pietre dure. 1612.

Mentre di molti lavori di pietre dure non conosciamo gli autori, nel caso di questo pannello, destinato come le altre storie bibliche all'altare per la Cappella dei Principi, i documenti ci hanno tramandato il nome di "Emanuele tedesco", disegnatore del modello dipinto, e del committitore "Fabiano tedesco", che ne eseguì la traduzione in pietre dure. Anche molte delle pietre che compongono questo mirabile paesaggio, dove quasi si perdono la figurina di Giona e del mostro marino che lo ha appena restituito alla terra, provengono dall'Europa settentrionale: sono infatti in prevalenza diaspri di Boemia, caratterizzati dalle luminose tonalità pastello, rese vibranti da minuscole puntinature, che qui si apprezzano specialmente nella verde distesa marina.

Jonah and the whale. Semi-precious stones mosaic. 1612.

While we do not know the authors of several semi-precious stones works, regarding this panel, made for the altar of the Cappella dei Principi like the other Biblical stories, the documents had transmitted us the name of "Emanuele Tedesco", drawer of the painted pattern, and the stones assembler (the "committitore") "Fabiano Tedesco", who turned it into a mosaic work using semi-precious stones. Many of the stones which make up this wonderful landscape, where the picture of Jonah and the sea-monster that has just given him back to the earth are nearly lost, come from Northern Europe: they, infact, are maily Bohemian jaspers, characterized by brilliant pastel tonalities, made vibrating by tiny dots, which can be here particularly appreciated in the green expanse of the sea.

Paesaggio toscano, commesso di pietre dure da un modello del pittore Bernardino Poccetti.

Nel primo decennio del '600 veniva eseguita, in coppia con un pannello consimile, questa veduta di colline toscane, che conserva la freschezza di impressioni tratte dal vivo, come il leprotto acquattato dietro un cespuglio in primo piano, o l'asinello che assieme al viandante si dirige verso le colline in lontananza. Se è merito del pittore Poccetti il vivace naturalismo di questa veduta "en plein air", non è stato tuttavia inferiore a lui il maestro di pietre dure, abilissimo nel creare la profondità del paesaggio, l'ombra della prima fascia di colline e la luce affocata di quelle dello sfondo, sfruttando con grande gusto pittorico le diverse sfumature di un unico tipo di pietra, il diaspro di Sicilia.

Tuscany landscape, semi-precious stones mosaic from a pattern by the painter Bernardino Poccetti.

This Tuscany hills landascape was created in the first decade of the 17th century forming a couple with a similar panel; it still conserves that freshness of impressions realistically got, such as the close-up leveret which is crouched down a bush, or the little donkey going towards the far away hills with the wayfarer. The painter Poccetti had really been very skillful in his lively naturalism of this "en plein-air" sight, despite that the semi-precious stones master was not inferior to him, since he was able to create the landscape deepness, the first hills belt shadow and the burning light of the background hills, exploiting the different colour shade of an only type of stone - the Sicilian jasper - with a wonderful pictorial taste.

Paesaggio nordico, commesso di pietre dure degli inizi del secolo XVII.

Northern landscape. Semi-precious stones mosaic of the early 17th century.

Nell'altare della Cappella dei Principi avrebbero dovuto inserirsi, in coppia con i due paesaggi toscani, due vedute fluviali che si distinguono invece per il diverso tipo di paesaggio e di architetture, che fanno pensare all'Europa del Nord. Tra i numerosi pittori e maestri di pietre dure che in questi anni lavoravano per le botteghe granducali, molti provenivano da varie regioni dell'Europa centro-settentrionale, contribuendo a dare un carattere cosmopolita all'ambiente e alle produzioni artistiche legate alla corte dei Medici. Gli autori potrebbero forse essere gli stessi Emanuele e Fabiano "tedeschi", ricordati come autori del pannello con Giona e la balena.

Two fluvial sights should have been inserted in the altar of the Cappella dei Principi, forming a couple with the two Tuscany landscapes; the former ones distinguish themselves by the different kind of landscapes and architectures, which let us think about Northern Europe. Among the numerous painters and semi-precious stones masters who worked during these years for the Grand-Ducal workshops, many of them came from different areas of central and Northern Europe, contributing in giving a cosmopolitan feature to the environment and artistical productions linked to the Medici's Court. The authors perhaps could be exactly Emanuele and Fabiano "tedeschi" (coming from Northern Europe) we already reminded to dealing with the panel of Jonah and the whale as its authors.

Paesaggio fluviale, commesso di pietre dure della manifattura di Praga.

Fluvial landscape, semi-precious stones mosaic of the manufacture of Prague.

Interamente realizzato con diaspri di Boemia, questo rugiadoso paesaggio fluviale è probabilmente boemo anche per l'esecuzione. Infatti a Praga era nata alla fine del '500, per volere dell'imperatore Rodolfo II d'Asburgo, una piccola ma attiva manifattura di mosaici di pietre dure, direttamente derivata da quella fiorentina. Dopo aver ricevuto in omaggio dal Granduca di Firenze un tavolo e altri lavori ammiratissimi, l'Imperatore chiese e ottenne che da Firenze si trasferissero alla sua corte di Praga alcuni maestri fiorentini, per ricreare appositamente per lui l'incanto della magica "pittura di pietra".

Entirely realized with Bohemian jaspers, this dewy fluvial landscape is probably of Bohemia even according to its execution. Infact, a small but active manufacture of semi-precious stones mosaics was born in Prague in the late 16th century, wanted by Emperor Rudolph II Asburgo, directly derived from the Florentine one. After having received a complimentary table and some other fine art works from the Grand-Duke of Florence, the Emperor asked and obtained that some Florentine masters moved from Florence to Prague in order to appropriately recreate for him the enchantment of the magic "stone painting".

Il Convito di Abramo, commesso di pietre dure della manifattura di Praga. 1620 circa.

The Banquet of Abraham. Semi-precious stones mosaic of Prague manufacture. About 1620.

Era destinata all'altare della Cappella dei Principi anche questa formella, con la scena biblica di Abramo che accoglie alla sua mensa tre viandanti, sotto il cui aspetto si celano in realtà degli angeli. Il modello fu preparato a Firenze dal pittore Poccetti, ma la traduzione in pietre dure venne affidata alla manifattura di Praga, forse come scambio di cortesie fra le due corti principesche. E' probabile che a Praga venisse anche un po' ritoccato il modello del pittore fiorentino, dato che Abramo indossa il colbacco e le vesti orlate di pelliccia di un signorotto abituato ai rigori degli inverni del Nord.

This tile was destined to the altar of the Cappella dei Principi, too. It represents the Biblical scene of Abraham who welcomes three wayfares to his own table, but the latter ones are actually angels. The pattern was arranged in Florence by the painter Poccetti, but the transposition in semi-precious stones was assigned to the manufacture of Prague, perhaps in return of some favour between the two princely courts. Probably, the pattern by the Florentine painter had been slightly retouched in Prague, since Abraham wears a bearskin and some fur-borded clothes as if he were accustomed to the harsh Northern winter.

La Fama, commesso di pietre dure della manifattura di Praga. 1620-'30 circa.

The fame. Semi-precious stones mosaic of the manufacture of Prague. About 1620-'30.

Al centro della formella di calcedonio, a forma di quadrilobo, campeggia l'immagine della Fama, che si libra in volo sul mondo con i panneggi svolazzanti, pronta a far squillare le trombe che tiene fra le mani. Forse destinato a formare il centro di un piano di tavola, questo piccolo oggetto raffinato fu venduto nel 1659 al Granduca di Firenze dai discendenti dei Castrucci, la famiglia di maestri di pietre dure che si era trasferita a Praga a fine '500 su richiesta dell'imperatore Rodolfo II, e che là aveva lavorato per la corte asburgica sino al terzo decennio del '600.

The representation of Fame stands out in the centre of the chalcedony tile, which is quadrilobate shaped; the Fame soars above the world with her fluttering clothes, ready to make the trumpets she keeps in her hands blare. Maybe, it was made to form the centre of a table board. This small but refined work was sold to the Grand-Duke of Florence in 1659 by the descendents of the Castrucci, the semi-precious stones masters family which moved to Prague in the end of the 16th century on request of the Emperor Rudolph II, and that had worked for the Habsburg Court till the third decade of the 17th century.

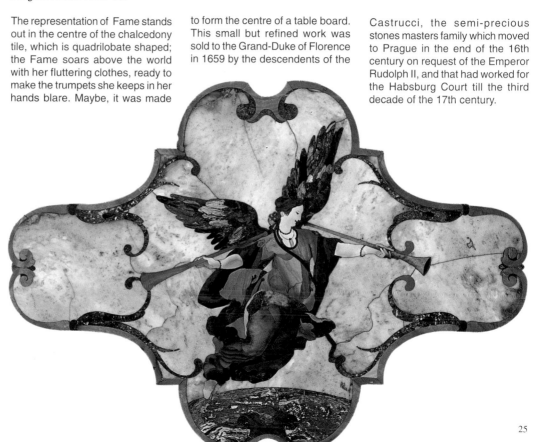

Stipo da tavolo, in ebano e pietre dure, della manifattura di Praga.

Fra gli arredi più amati dai collezionisti tra '500 e '600 vi furono gli stipi o (come venivano più spesso definiti) "studioli", che potevano avere come questo dimensioni abbastanza ridotte, e poggiare su un sostegno, oppure assumere forme monumentali, da architetture in miniatura. Avendo funzioni di casseforti, destinate a custodire monete e preziosi, gli stipi erano ricchi di "segreti" ingegnosi, che consentivano solo al proprietario di aprirne cassetti e vani interni.
Questo stipo, impreziosito dai pannelli di diaspri e da applicazioni d'argento, si apre ruotando la colonnina a sinistra dello sportello, svelando così il vano centrale e quattro cassettini; altri cassetti si aprono nel basamento, che racchiude anche un piano con il gioco del back-gammon, estraibile attraverso le due mensoline di argento dorato e cesellato.

Table cabinet, executed with ebony and semi-precious stones by the manufacture of Prague.

Among the most appreciated pieces of furniture by collectors between the 16th and 17th century we surely find cabinets or, as they were often called, "studioli". They could be quite small like this one and sustained by a support, or have monumental shape, like miniature architectures. Having been used as security boxes and destined to keep precious objects and coins, those cabinets were rich in clever "secrets", in order to allow their owners only to open the many internal drawers and compartments.
This cabinet, made precious by the jasper panels and the silver decorations, can be opened turning round the small column on the left of the door, revealing the central compartment and four small drawers; other four small drawers open in the base, which also contains a back-gammon board, extractable by the two small shelves made of chiselled silver gilt.

Sportello per stipo, con girasole a commesso di pietre tenere. 1664.

Lo stesso soggetto del girasole affiancato da due farfalle è presente in Museo in una versione realizzata con pietre dure, che tuttavia nell'effetto pittorico è forse superata da questo pannello di meno pregiate pietre calcaree. L'artefice, del quale in questo caso si conosce il nome (Gerolamo della Valle, graffito a tergo del pannello insieme alla data 1664) ha saputo fantasiosamente sfruttare le sfumature dei diaspri teneri dell'Arno per rendere la solare corolla del fiore e le foglie striate, come pure l'alabastro screziato che dà movimento alle ali delle farfalle. Il modello pittorico che, come sempre, è servito di base al mosaico non è imitato ma liberamente ricreato con la tavolozza naturale delle pietre.

Cabinet door, with sun-flower made of soft stones mosaic. 1664.

The same subject of the sun-flower sided by two butterflies is to be found in the Museum in a semi-precious stones version, but that is however overcome according to its pictorial effect by this panel made of less precious calcareous stones. The craftsman, whose name - Gerolamo Della Valle - is scratched as a graffito on the back of the panel itself together with the execution year (1664), had been able to exploit in an imaginatively way the colour shades of the soft jasper of the River Arno in order to realize the solar flower corolla and the streaked leaves as well as the pied alabaster which gives the butterflies' wings a particular movement. The pictorial pattern which, as usual, served as basis to the mosaic does not result an imitation but freely re-created by the natural "palette" of the stones.

27

Lunetta per stipo, con coppa di frutta a commesso di pietre tenere. Secolo XVII.

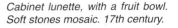
Cabinet lunette, with a fruit bowl. Soft stones mosaic. 17th century.

All'Opificio è esposta una ricca serie di pannelli destinati a rivestimento di stipi, e rimasti poi inutilizzati. Quando questo tipo di mobili era di gran moda, venivano realizzati in quantità dalle botteghe granducali, ma essendo più lunga la preparazione dei pannelli a commesso che quella del mobile ligneo, si predisponevano in anticipo serie di pannelli, che potevano poi essere variamente montati e adattati sugli stipi. Questo a forma di lunetta fu probabilmente concepito per sormontare uno degli sportelli, che si aprivano numerosi sul prospetto degli stipi.

A rich set of panels which were destined to coat some cabinets and left unutilized is shown inside the Opificio. When that sort of furniture was all the fashion, it was produced by the Grand-Ducal workshop in big quantity. Anyway, the preparation of mosaic panels was far longer than the one of the wooden piece of furniture, so that series of panels were arranged in advance and, then, they could consequently be mounted and adapted on the cabinets. This "lunette" shaped one was conceived to become the top of one of the many doors opening on the cabinets front.

Pannello per stipo, con vaso di fiori a commesso di pietre dure e tenere. 1690.

Esistono nel museo tre pannelli con questo soggetto, datati sul retro 1690, e sicuramente destinati ad uno stipo. Il tema naturalistico dei fiori o frutti fu il più ricorrente nella decorazione degli stipi e arredi analoghi, a partire dai primi del '600, per arrivare sino quasi alla metà del '700. Pur riutilizzando più di una volta lo stesso modello pittorico, le botteghe granducali inserivano tuttavia varianti, nei colori delle pietre o nella disposizione dei pannelli, in modo che non vi fossero mai creazioni assolutamente identiche. E' da notare poi che, avanzando nel corso del '600, il naturalismo più sobrio e puntuale dei primi soggetti vegetali lascia spazio, come in questo caso, a capricciose variazioni disegnative, come quella dei racemi che affiancano il vaso.

Cabinet panel, with flower vase manufactured using semi-precious and soft stones. 1690.

Three panels representing that theme are kept in the Museum; they are dated on their back-side 1690 and they were surely conceived to be part of a cabinet. The naturalistic subject with flowers and fruit had been the most recurrent in cabinets decoration as well as in similar pieces of furniture since the beginning of the 17th century, until nearly the half of the 18th one. The Grand-Ducal workshop used some variations though they made use of the same pictorial pattern more than once, for instance about the stone colours or the layout of panels, so that absolutely identical creations had never been made. It is the worth noticing that during the 17th century, the soberest and most punctual naturalism of the first vegetable subjects gives the way, like here, to extravagant variations of the drawing, such as the one about the racemes which are placed next to the vase itself.

Pappagallo su ramo di pero, commesso di pietre tenere del secolo XVII.

Il pannello, realizzato forse come sportello per uno stipo, fa spiccare sul prediletto fondo di marmo nero le cromie vivaci del piumaggio dell'uccello e del ramo di pere, su cui si libra in volo una farfalla. Assieme al tema dei fiori e dei frutti, con cui è spesso abbinata, la raffigurazione degli uccelli fu uno dei decori preferiti dai mosaici fiorentini sino dai loro esordi. Ai primi del '600 il pittore Iacopo Ligozzi, autore fra l'altro di disegni botanici e zoologici di sorprendente verità, forniva ai maestri di pietre dure modelli naturalistici, dove spesso ricorrevano uccelli esotici, come pappagalli o uccelli del paradiso, che negli stessi anni si potevano ammirare nelle voliere del giardino granducale di Boboli.

Parrot on a pear-tree. 17th century soft stones mosaic.

The panel, made probably to be a cabinet door, shows the lively shade of colours of the bird's plumage and of the pear-tree branch from which a butterfly soars on the favourite black marble background. Together with the theme of flowers and fruit, which is often combined with, had been one of the favourite decorations in Florentine mosaics since the beginning. In the early 17th century, the painter Iacopo Ligozzi, author even of surprisingly realistic botanical and zoological drawings, supplied naturalistic patterns to the semi-precious stones masters; those patterns often represented exotic birds, such as parrots or birds of paradise, which at that time could be admired in the aviaries of the Grand-Ducal Giardino dei Boboli.

Dante e Virgilio all'Inferno, dipinto a olio su pietra paesina di Francesco Ligozzi. 1620.

Dante and Virgil in the "Inferno". Oil-colours painting on "pietra paesina" by Francesco Ligozzi. 1620.

Alla corte dei Medici le pietre non vennero usate solo per creare l'illusionistica "pittura di pietra" dei mosaici, ma anche come sfondo fantasioso, al posto della tela, per veri e propri dipinti a olio. Questo gusto d'altronde fu comune, fino alla metà del '600, ad altri ambienti artistici italiani ma anche europei, che in queste opere apprezzavano la combinazione tra l'inventiva dell'artista e quella della natura, che si era sbizzarrita a creare pietre le cui macchie e venature sembrano suggerire un paesaggio roccioso, una superficie acquatica increspata, o un cielo di mobili nubi. A Firenze, nel letto dell'Arno, si trovava con facilità un sasso di fiume conosciuto come "pietra paesina", quella appunto che fa da sfondo a questo dipinto, e definita così per la sua capacità di evocare visioni di anfratti e pareti rocciose.

At the Medicean Court, stones were not only used in order to create the illusionistic "stone painting" of mosaics, but even as an imaginative background, instead of a canvas, to realize real oil-colours paintings. That sort of taste was shared, till the half of the 17th century, by other artistic Italian and European environments, which could appreciate in this kind of works the combination of the artist's inventiveness with the one of nature, that had enjoyed itself in generating all those stones whose spots and venations seem to suggest some rocky landscape, a rough water surface, or a sky with wandering clouds.
Nearby Florence, a river stone known as "pietra paesina", could easily be found in the bed of the River Arno; it is right that which is the background of this painting and it is so called because of its capacity in evoking tortuous ravines and rocky walls sights.

Acquasantiera da camera, in pietre dure e bronzo dorato. Inizi del secolo XVIII.

Le botteghe dei Medici erano specializzate anche nell'intaglio a tutto tondo o a rilievo delle pietre dure, con le quali si realizzavano delle singolari "sculture musive". Come nel caso dell'angelo e dell'Annunciata che compaiono in questa sontuosa acquasantiera, le singole parti della scultura venivano intagliate separatamente, in pietre di diverso colore, e poi collegate assieme, attraverso piccoli perni invisibili e collanti, per formare un'immagine unica.

Soprattutto il gusto barocco tra '600 e '700 fu appassionato di questi piccoli capolavori di scultura, dove l'abilità dell'intagliatore era doppiamente messa alla prova, nella ricerca delle giuste sfumature della pietra e nella capacità di venire a capo della sua durezza, dandole una morbidezza di modellato che la rende simile alla cera.

Bed-room holy-water font, executed with semi-precious stones and bronze gilt. Early 18th century.

The Medicean workshop was also specialized in the "tutto tondo" - or round - cutting as well as the relief one of semi-precious stones, which were used for singular "mosaic sculptures". Like for the Angel and the Lady of the Annunciation represented in this sumptuous holy-water font, each single section of the whole sculpture was separately carved in different colour stones and, then, joined together by small invisible pins and glues in order to create one only picture.

The Baroque taste between the 17th and 18th century was particularly fond of those small sculptures masterpieces, for which the carver's ability was doubly tested either in the search for the suitable stones colour shade, or the ability in coming to a head of the stone hardness, giving it a soft modelling which makes it similar to some wax works.

*Terminali per letto a baldacchino?
Pietre dure e bronzo dorato, secolo XVII.*

Le facce dei due poliedri sono ri-
vestite da lastrine di lapislazzuli e
diaspri gialli e rossi, profilati di bronzo dorato. Questi insoliti elementi,
recuperati di recente nei depositi
dell'Opificio in stato frammentario,
erano in tutto quattro, ma è stato
possibile ricomporre soltanto due.
Pensando a quale potesse esser-
ne la destinazione d'origine, viene
da pensare agli spettacolari letti di
pietre dure che esistevano nelle
regge medicee, e dei quali ci sono
rimaste solo le descrizioni di ammirati viaggiatori sei e settecente-
schi. Chissà che i nostri poliedri non
coronassero i montanti di uno di
questi letti a baldacchino, magari
quello che aveva colonne d'argento, lungo le quali salivano tralci di
vite, con grappoli di ametista.

*Terminal sections of a baldachin
bed? Made of semi-precious
stones and bronze gilt, 17th
century.*

The two polyhedrons faces are
coated with small lapis-lazuli plates
and yellow and red jaspers, which
are bordered by bronze gilt. These
unusual elements, recently got
back in the store-house of the Opificio in a very fragmentary
condition, were four on the whole,
but only two of them could be
composed again. Thinking about
what their original destination could
be, we can think to the magnificent
semi-precious stones beds which
were to be found in the Medicean
mansions, of which nowadays only
some descriptions by amazed
travellers of the 17th century are
left. We cannot exclude that those
polyhedrons once constituted the
top of the posts of those baldachin
beds, maybe the one having silver
columns, along which vine shoots
climbed up with grapes made of
amethyst.

Ritratto del Gran Principe Ferdinando, miniatura su cartone. 1670 circa.

Il figlio primogenito del granduca Cosimo III, Ferdinando, nato nel 1663, è qui raffigurato in età ancora infantile. Designato come "Gran Principe" in quanto erede al trono di Toscana, Ferdinando morì nel 1713, prima del padre, a cui successe poi l'altro figlio Giangastone, ultimo esponente della casata dei Medici.

Il pregio di questo ritrattino non è solo nella qualità della miniatura, ma anche nella finezza della cornice, di tartaruga intarsiata in avorio e legni colorati che formano un decoro floreale. Questo gusto è caratteristico dei lavori dell'ebanista Leonard van der Vinne, che nel secondo Seicento introdusse alla corte medicea le finezze dell'intarsio ligneo di moda nelle Fiandre.

Gran Principe Ferdinando's portrait, miniature on cartoon. About 1670.

Granduca Cosimo's III first born son, Ferdinando, who was born in 1663, is here portrayed when he was an infant. Ferdinando was designed to become "Gran Principe" since he was the successor to the Throne of Tuscany, but he died before his own father in 1713. Giangastone, the other son of his, succeeded to the latter and he was actually the last member of the Medici.

The special quality of this little portrait lies not only in the real value of the miniature itself, but even in the fineness of its frame-work. Infact, that is made of tortoise-shell inlaid with ivory and coloured woods which form a floreal decoration, according to the taste of the cabinet-maker Leonard Van der Vinne, who during the second half of the 17th century introduced the fineness of the wooden inlaid works - which were all the fashion in the Flanders - to Medicean Court.

Natura morta a inganno, dipinto a olio su tela. Secolo XVII, seconda metà.

I dipinti "trompe-l'oeil", concepiti e realizzati in modo da creare nell'osservatore l'illusione della realtà, furono un genere particolarmente di moda nel '600, e nel quale si specializzarono i pittori fiamminghi, per tradizione avvezzi a una restituzione analitica e minuziosa delle immagini naturali.

Si deve probabilmente al fiammingo Domenico Remps, attivo a Firenze nel secondo Seicento, questa suggestiva immagine dell'armadietto di un collezionista, dove sono riuniti prodotti e curiosità sia artistiche che naturali, che sembrano quasi invitare il visitatore a staccare i coralli appesi alle ante spalancate, o ad afferrare la penna d'oca o il coltellino posati sul davanzale.

Deceitful still-life, oil-colours painting on canvas. Second half of the 17th century.

"Tromp-l'oeil" paintings, conceived and realized in order to create the reality illusion at the observer's eyes, were a particularly fashionable genre during the 17th century. Flaming painters were real experts in that, since they were accustomed to an analitic and precise translation of natural images according to their traditions.

We probably owe to the Flaming Domenico Remps, working in Florence in the second half of the 17th century, this touching picture of the cabinet owned to a collector, where products and curiosities both artistical and natural are joined together that those nearly seem to invite the visitor to catch the corals which are hanging to the opened doors, or grasp the goose feather or the small knife laying on the window-sill.

Veduta costiera, commesso di pietre dure e tenere. Inizi del secolo XVIII.

Coastal view, semi-precious and soft stones mosaic. Early 18th century.

Verso la fine del '600, accanto al tema sempre dominante dei fiori, ritorna nei mosaici fiorentini la veduta paesistica, che era già stata sperimentata con successo agli inizi del secolo. Questi paesaggini potevano avere funzione di quadretti autonomi, o di rivestimento per stipi, come nel caso di quello monumentale, appartenuto alla granduchessa Vittoria della Rovere e ancora visibile a Palazzo Pitti. Nella composizione venivano spesso abbinate pietre sia dure che tenere, mentre per i cieli si sceglieva di preferenza l'alabastro di Volterra, che per la sua trasparenza si prestava ad essere dipinto dal retro, fingendo nuvole e squarci d'azzurro, che gli artefici più pazienti del passato ottenevano con l'impiego delle sfumature naturali delle pietre.

Towards the end of the 17th century, with the ever dominant subject of flowers, the landscape view comes into being; that was already successfully experimented at the beginning of the century. Those tiny landscapes could be small autonomous pictures, or being used as cabinets coating, like in the case of the monumental one, owned to the Granduchessa Vittoria della Rovere and still visitable at Palazzo Pitti.
Both semi-precious and soft stones were often combined together in the composition, while for the sky the alabaster from Volterra was preferred which, due to its transparency, was well suitable to be painted on its back side, creating deceiving clouds and azure splits, which the most skillful craftsmen of the past got using the natural colour-shades of the stones.

Veduta costiera, commesso di pietre tenere. Inizi del secolo XVIII.

L'Opificio conserva una serie di otto tondi con "vedute di mare", come le chiamano gli inventari antichi, popolate di minuscoli personaggi e architetture fiabesche, che danno a questi scorci un sapore gradevolmente naïf. Questi quadretti, che si prestavano pure a essere inseriti nelle "boiseries" di rivestimento alle stanze, furono noti e apprezzati anche fuori da Firenze: intorno al 1720 la margravia del Baden, Sibilla Augusta, imparentata con i Medici, si faceva allestire nella sua residenza di Rastatt una "stanza fiorentina" (Florentiner Zimmer), dove nei rivestimenti in legno delle pareti si affacciavano, luminosi e primaverili, paesaggi simili a questi.

Coastal view, soft stones mosaic. Early 18th century.

The Opificio has got a series of eight "tondo" representing "sea views", as they are defined by the old inventories, which are populated by tiny fairy-like characters and architectures that give those foreshortenings a pleasant naive taste. These small pictures, which were well suitable to be inserted in the "boiseries" covering the rooms as well, were famous and appreciated even far from Florence: around the year 1720 the Margravine of Baden, Sibilla Augusta, related to the Medici, ordered that in her mansion in Rastatt a "Florentine room" (Florentiner Zimmer) were arranged, where in the walls wooden inner-coating bright and spring landscapes of that sort were embodied.

La Pittura, olio su tela di Giuseppe Zocchi. 1752.

The Painting. Oil-colours on canvas by Giuseppe Zocchi. 1752.

Nel 1737, estinti i Medici, il Granducato di Toscana passò agli Asburgo Lorena, per i quali la prestigiosa manifattura delle pietre dure continuò a lavorare. Vennero allora di moda i mosaici con temi di figura, di soggetto spesso allegorico, come questo che rappresenta l'arte della Pittura, raffigurando lo studio di un pittore contemporaneo intento a eseguire il ritratto di una bella dama, mentre i giovani allievi si esercitano diligentemente nel disegno.

Dalla metà del secolo e per un quindicennio, il pittore fiorentino Giuseppe Zocchi fornì alla manifattura ben sessantadue modelli a olio per quadri di pietre dure, che una volta ultimati venivano spediti alla corte di Vienna, dove viveva il nuovo granduca Francesco Stefano, marito dell'imperatrice d'Austria Maria Teresa d'Asburgo.

In 1737 the Medici extinguished and the Granducato was inherited by Asburgo Lorena, for whom the prestigious semi-precious stones went on working. Some mosaics representing various characters, often allegorical, like this that depicts the Painting Art, were all the fashion. This one illustrates a contemporary painter's atelier, where the artist is carrying out the portrait of a beautiful lady, while his young pupils and apprentices are diligently training themselves in drawing.

Since the second half of the 18th century and for a period of fifteen years, the Florentine painter Giuseppe Zocchi had made 62 oil-colours patterns to be, then, utilized for semi-precious stones works by the workshop; once they were completed, they were sent to the Court in Vien, where the new Grand-Duke Francesco Stefano, husband of the Austrian Empress Maria Teresa D'Asburgo, lived.

La Pittura, quadro a commesso di pietre dure dal modello di Giuseppe Zocchi. 1780 circa.

I quattro quadri con le allegorie delle Arti, di cui fa parte la Pittura, furono replicati una seconda volta in pietre dure tra il 1776 e il 1780 per Pietro Leopoldo di Asburgo Lorena, granduca dal 1765, che per la sua reggia di Palazzo Pitti volle una copia dei quadri che aveva visto alla corte paterna di Vienna.

In questa occasione anche la cornice venne realizzata (anziché in bronzo come era abitudine), in pietre dure, rapppresentando negli angoli gli emblemi dell'Arte; è da ammirare anche la resa del ritratto appena abbozzato della dama, che traspare come un'immagine evanescente attraverso l'ovale di prezioso calcedonio orientale, dietro il quale è dipinta.

The Painting. Semi-precious stones mosaic from the pattern by Giuseppe Zocchi. About 1780.

The four pictures representing the allegories of the Arts the Painting is part of, were repeated twice. Infact, the second time, it was carried out as a semi-precious stones mosaic between 1776 and 1780 for Pietro Leopoldo di Asburgo Lorena, Grand-Duke from 1765, who wanted a copy of those pictures he had seen in his paternal court in Vien for his royal palace of Palazzo Pitti.

On that occasion, the frame-work too was made using semi-precious stones (instead of bronze made as usual), reporting the Art's emblems in its corners. We have also to admire how the scarcely sketched portrait of the lady had been rendered being an evanescent figure through the oval of precious oriental chalcedony on the back side of which she is painted.

Veduta del Pantheon, quadro a commesso di pietre dure. 1797 circa.

Giocata sulle tenui e raffinate cromie grigio-brune dei calcedoni e del legno pietrificato, questa veduta romana fa parte di una serie, ispirata alle celebri incisioni del Piranesi, che a fine '700 avrebbe dovuto arredare un ambiente della reggia di Palazzo Pitti. Il progetto, proposto al Granduca Ferdinando III dal direttore dalla manifattura Luigi Siries, fu interrotto dall'esilio del Granduca, all'arrivo degli eserciti napoleonici nel 1799.
Assieme alla veduta della piazza del Pantheon, l'Opificio conserva quella della tomba di Cecilia Metella, mentre un terzo quadro in pietre dure della serie si trova oggi nel Palazzo reale di Madrid.

Pantheon sight, semi-precious stones mosaic work. About 1797.

This work is played on the tenuous and refined brown-grey chalcedony shades of colour as well as the petrified wood. It had been inspired by the famous engravings by Piranesi, who would have had furnished a room of Palazzo Pitti in the end of the 18th century. The design which was submitted to Granduca Ferdinando III by the director of the manufacture Luigi Siries, was interrupted by the Grand-Duke's exile, when the Napoleonic arms arrived in 1799. Together with this Pantheon sight, the Opificio keeps the one of Cecilia Metella's tomb, while a third picture made of semi-precious stones belonging to the same series is nowadays to be found in the Royal Palace in Madrid.

Figura femminile, con costume della fine del secolo XVIII. Commesso di pietre tenere.

Female character wearing a late 18th century costume. Soft stones mosaic.

In coppia con un analogo personaggio maschile, le due formelline erano forse destinate a decorare il prospetto di uno stipo, o a far parte di un piano di tavolo. A fine '700 la manifattura produce di frequente lavori sempre squisiti ma di piccola dimensione, che diventano più diffusi durante il periodo della dominazione francese (1799-1815), quando le botteghe di pietre dure non lavorano esclusivamente per la corte, ma possono accogliere anche le richieste di privati, che erano più facilmente interessati ad acquistare piccole "galanterie", come tabacchiere, gioielli, formelline ecc.

This work, forming a couple with a similar one representing a male character, was perhaps destined to decorate a cabinet front, or be part of a table board. In the late 18th century, the manufacture frequently produces fine but small works, which become more common and spread during the French domination (1799-1815), when the semi-precious workshops do not only work for the Court, but they can also accept some privates' requests, and it can be clear they were more interested in buying "small luxurious objects" such as snuff-boxes, jewels, small tiles and so on.

Veduta fluviale, scagliola di Enrico Hugford, secolo XVIII.

Durante il periodo lorenese, all'esterno della manifattura di pietre dure che prosegue nella sua illustre tradizione, si afferma la più modesta ma apprezzata arte della scagliola. Si tratta di una forma di intarsio, in gesso colorato e lucidato, che nel '600 era diffusa a Carpi e in altre zone povere di marmi policromi, che la scagliola si proponeva di imitare. In Toscana, particolarmente a Livorno e Firenze, la scagliola fu di moda soprattutto nel '700, e come genere imitativo piuttosto della pittura. A Firenze la figura emergente fu quella del monaco vallombrosano Enrico Hugford, di famiglia inglese, che alle sue vedute riuscì a dare la delicatezza di colori e la luminosità di un pastello sotto vetro.

Fluvial sight, "scagliola" by Enrico Hugford, 18th century.

During the period of Lorena, side by side of the semi-precious stones manufacture which goes on in its renowned tradition, we find the more modest, but appreciated at the same time, art of the so-called "scagliola". That is a kind of inlaid work, using coloured and polished plaster or gypsum, which during the 17th century spread in Carpi and in other areas that were poor in polychromatic marbles and that "scagliola" could imitate. In Tuscany, Livorno and Florence in particular, that "scagliola" was all the fashion above all in the 18th century especially like an imitation of the painting art. In Florence, the most important author was the "Vallombrosano" monk Enrico Hugford; he belonged to an English family and was able to give his own sights the colour delicacy and brightness of a pastel work set under a sheet of glass.

Fiori e farfalle, scagliola di Lamberto Cristiano Gori, 1778.

Flowers and butterflies, "scagliola" by Lamberto Cristiano Gori, 1778.

Il livornese Gori fu allievo di Enrico Hugford, dal quale apprese i segreti tecnici per dare ai suoi quadri e piani di tavolo in scagliola sottili finiture pittoriche e vibrante lucentezza. Sia il Granduca di Firenze che la nobiltà cittadina furono molto attratti dalla nuova voga della scagliola, che trovò tuttavia i collezionisti più appassionati nei signori inglese che nel corso del "grand tour" non mancavano mai di fermarsi a Firenze. Ancora oggi molte delle produzioni migliori degli scagliolisti toscani e del Gori si trovano nelle raccolte inglesi.

A differenza del suo maestro Hugford, che prediligeva le vedute, il Gori trattò in scagliola i soggetti più variati, dai fiori naturalistici ispirati, come in questo caso, alle nature morte seicentesche, ai temi classicheggianti di moda negli ultimi decenni del '700, alle copie di quadri famosi di epoche diverse, esposti nei musei fiorentini.

Gori, from Livorno, was Enrico Hugford's apprentice and learnt by the latter all the technical secrets to give his pictures as well as table boards realized by that technique defined "scagliola" subtle pictorial refinings, together with that vibrating glossiness. Both the Grand-Duke of Florence and aristocratic citizens were so attracted by the new fashion of "scagliola", yet that sort of works found the most passionate collectors among the English Gentlemen, who during their "grand tour" never missed to stop in Florence. Still nowadays, lots of the best productions of that sort of works by the "scagliolisti" and Gori himself are to be found in the English collections. Differently from his master Hugford, who preferred his views, Gori dealt with the most various subjects in his "scagliola" works, from the naturalistic flowers inspired, like here, by the still-life paintings of the 17th century, to those classic themes which were all the fashion in the last decades of the 18th century, to copies of famous paintings belonging to different ages, exhibited inside the Florentine museums.

*Conchiglie, coralli e perle, partico-
lare di un tavolo di pietre dure.
1816.*

A fine '700, e per i primi decenni
del secolo seguente, i commessi di
pietre dure scelsero spesso soggetti di sofisticate nature morte,
quali composizioni di vasi o "produzioni marine", che meglio dei
soggetti di figura si prestavano a
valorizzare l'astratta e raggelata
bellezza delle pietre. In questo piano di porfido rosso antico, pietra
nobile per eccellenza tornata di
moda in epoca Impero, si resta af-
fascinati dalla precisione capillare
con cui sono intarsiate le conchiglie, ma anche dalla capacità di
suggerire con i calcedoni opale-
scenti l'ombra nella cavità interna
dei gusci, e con la rara agata di Goa
il rosso avvampante del corallo .

*Shells, corals and pearls. Detail
belonged to a table made of semi-
precious stones. 1816.*

In the end of the 18th century and
the first decades of the following
one, semi-precious stones mosaics
often represented sophisticated
still-life pictures, such as vases
compositions or "sea-views", which
better than some human characters
fitted to make the abstract and cold
beauty of stones valuable. This is
a dull red porphyry board, which is
a pre-eminently noble stone that
was quite spread during the Empire Age.
The observer is certainly charmed
by the detailed precision of the
shells inlaying, as well as the ability
in suggesting by the opalescent
chalcedonies the shade in the
internal shell cavities, or the coral
fiery red with the so rare agatha of
Goa.

Gli ultimi anni del Granducato di Toscana furono difficili politicamente ed economicamente, e di ciò risentì naturalmente anche la gloriosa manifattura delle pietre dure, che dovette spesso lavorare a ritmi più modesti. Di tanto in tanto tuttavia non si tralasciava di creare opere "di rappresentanza", come il grandioso tavolo circolare con Apollo e le Muse, intarsiato su uno smagliante fondo di lapislazzuli, che nel 1850 venne collocato nella Galleria Palatina.

Subito dopo, si passò alla realizzazione di questo tavolo, di misura inferiore ma egualmente ricchissimo di pietre pregiate, sparse sul piano ad offrire contemporaneamente uno straordinario campionario floreale e minerale. Il fondo del piano è formato da nefrite d'Egitto, così chiamata fin dall'epoca romana per la credenza di sue magiche virtù nel guarire le malattie renali: ma se queste sono dubbie, certa è invece la bellezza della sua chiazzatura, che la rende simile a un velluto dai cupi bagliori verdi, accesi da zone più luminose.

Autore del modello pittorico per il piano fu il giovane disegnatore Niccolò Betti, che per questo lavoro ricevette una gratifica speciale dal granduca Leopoldo II: questi tuttavia non poté godersi nelle stanze della sua reggia il bel tavolo, ancora privo della base di legno dorato quando nel 1859 dovette lasciare definitivamente Firenze. Nel 1861 ci fu in città un'Esposizione d'arte per celebrare la nascita recente del regno d'Italia, e il tavolo granducale vi figurò a rappresentare l'antica manifattura di corte, ora incerta sulla sua sorte futura.

The last years of the Granducato di Toscana were politically and economically difficult and that, of course, influenced the glorious manufacture of semi-precious stones, which was forced to work according to a more modest rythm. Yet, sometimes they did not miss to create "official" works such as the magnificent circular table showing Apollo and the Muses, inlaid on a glowing lapis-lazuli background, which in 1850 was set inside the Galleria Palatina.

Immediately later, the creation of this table started; it was smaller in size, but equally so rich in valuable stones, which were spread on the table in order to offer an extraordinary floreal and mineral set of samples at the same time. The table background is made up of Egyptian nephrite, so called since the Roman Age because it was believed able to recover kidney diseases according to its supposed magic virtues; but if we can confute the latter ones, we can be sure about the beauty of its spotting, which makes it similar to a velvet with dim green flashes, which generate from the more bright areas. The drawer Niccolo' Betti was the young author of the pictorial pattern used for the board, who received a special bonus by the Grand-Duke Leopoldo II for this work; the latter, however, could not enjoy this beautiful table in his royal palace, which was still without its golden support when the Grand-Duke had to leave Florence forever in 1859. In 1861, an art exhibition took place in Florence in order to celebrate the recent birth of the Italian Kingdom, and the Grand-Ducal table was shown as an example of the ancient court manufacture, whose future was now uncertain.

Piano di tavolo con uva e pampini, 1865.

Table board with grapes and vine-leaves, 1865.

Il nuovo Stato italiano mantenne in vita l'Opificio, a condizione che si autofinanziasse vendendo al pubblico le proprie creazioni: ma non era facile conciliare il livello e i costi di una produzione così aristocratica con i gusti e le possibilità di una clientela eterogenea.
Niccolò Betti, pittore e direttore della manifattura, tentò di farlo semplificando il disegno e l'assortimento dei materiali ma salvaguardando la qualità, come si vede in questo piano dove vengono sfruttate a pieno le calde variazioni cromatiche di due soli tipi di pietre dure. Il diaspro di Sicilia rende le screziature dei pampini, e il calcedonio orientale la freschezza dei grappoli di uva che, come si racconta per i dipinti del pittore greco Apelle, sembrano voler attrarre gli uccelli a beccare i loro invitanti e ingannevoli chicchi.

The new Italian state kept the Opificio alive, provided it were self-financed selling its own creations and works to the public. Anyhow, conciliating the level and the expenses of such an aristocratic production with the heterogeneous clientele's taste and possibilities was not easy.
Niccolò Betti, painter and director of the workshop and manufacture, tries to do that simplifying the drawing and the materials selection, anyway saving the works quality and it is possible to verify all that looking at this board where the warm colour-shade variations of two types only of stones are fully exploited. The Sicilian jasper renders the pied vine-leaves and the oriental chalcedony creates the grape-bunches freshness which, as the Greek painter Apelle's works are told, seem to invite the birds to peck their inviting and deceitful grapes.

Colombe e turcasso, particolare di un piano di tavolo. 1870.

Doves and quiver, detail of a table board. 1870.

L'emblema amoroso delle colombe e delle frecce forma il tema centrale di un piano di tavolo circolare, con fregio di contorno con fiori, racemi e uccellini, nel quale si incastonano cristalli sfaccettati a imitazione delle gemme. Altri mosaici di questo periodo usano questo artifizio, per far apparire più preziosi, agli occhi di un pubblico non sempre raffinato, i prodotti della manifattura il cui vero pregio stava nel gusto delle invenzioni disegnative e soprattutto nella straordinaria sensibilità pittorica con cui venivano scelte le sfumature delle pietre. Anche i soggetti cercano di incontrare il favore del gusto romantico, che predilige temi amorosi, come questo delle colombe di antica origine classica, floreali o storici.

The love emblem of the doves and arrows creates the central theme of a circular table board, with a flowery edge decoration, racemes and a little birds, where faceted crystals in imitation of precious gems are embodied. Other mosaics in this period used that special device, in order to make the workshop's products more precious at the eyes of a not necessarily refined public. However, the real value of those works was in the particular taste in the drawing inventions and above all in the extraordinary pictorial sensitiveness employed in choosing the stones.
Even the subjects try to meet the favour of the late Romantic taste, which prefers love themes, like this one of the doves of ancient classic origin, as well as floreal and historical ones.

Caminetto di malachite e bronzo dorato. Manifattura russa del secolo XIX.

Malachite and gilded bronze fireplace. Russian manufacture. 19th century.

La passione per le pietre pregiate, che attraverso i secoli era stata comune a tanti sovrani, toccò anche l'imperatrice Caterina II di Russia, che nel '700 finanziò studi e ricerche che portarono al ritrovamento in Siberia di importanti giacimenti di lapislazzulo e di malachite. Il vivido verde screziato di questa pietra fu poco amato nella manifattura di Firenze, che giustamente la riteneva inadatta a trovare nei mosaici un armonico rapporto con le altre pietre, ma la malachite fu ampiamente utilizzata nelle tre manifatture create in Russia dalla grande Caterina, come pure dagli arredatori francesi del periodo Impero.

Questo scenografico caminetto ottocentesco, ispirato a modelli del secolo precedente, proviene da una residenza nobiliare di San Pietroburgo: come di norma in questi arredi di grandi dimensioni, la preziosa malachite è tagliata in lastre sottili, che rivestono una struttura interna e sono disposte in modo da creare uno sviluppo unitario nelle ondulate screziature della pietra.

The passion for valuable stones, which through the centuries had been shared by lots of monarchs, also involved Catherine II Empress of Russia, who sponsored studies and researches which led to the discovery in Siberia of considerable lapis-lazuli and malachite bodies during the 18th century. The vivid pied green of the latter was not so appreciated in the Florentine workshop, since it was thought unsuitable to harmonize with the other stones within a mosaic, but that malachite was spreadly used by three workshops Catherine II founded in Russia, as well as by the French interior designers during the Empire Age.

This scenographic fire-place of the 19th century was inspired by patterns belonging to the previous century; it comes from an aristocratic palace in San Pietroburgo: as usual in those pieces of furniture of such a dimension, the precious malachite is cut in order to get thin sheets, which coat the inner structure and set to create a unitarian development in the undulated stones variagations.

Piano di tavolo con camelia e gioielli. 1875.

Nel tondo centrale al tavolo spiccano, su un vassoio argenteo che brilla appena sul fondo di marmo nero del Belgio, un fiore di camelia, un bracciale e un filo di perle, che sembrano lì posati distrattamente da una dama al ritorno da una festa. Il tema illusionistico dei gioielli abbandonati sul piano era stata, per i tavoli di pietre dure, un'invenzione settecentesca del tempo del Foggini, ma trova nuova freschezza e veridicità in questa composizione studiata dal pittore Niccolò Betti, del quale rimane anche il modello acquerellato su carta, servito per la traduzione in pietre dure.

Table board with camellia and jewels. 1875

In the central "tondo" of the table, on a silvery tray which slightly glitters on the black Belgium marble background, a camellia flower, a bracelet and a pearls string stand out. They seem left there by an absent-mind lady coming back from a party. The illusionistic theme of some jewels forgotten on a board had been, relatively to the semi-precious stones boards, an invention of the 18th century, at Foggini's time. That is, however, renewed by some new freshness and truthfulness in this composition realized by the painter Niccolò Betti, whose water-colours picture made on paper which served as patterns and, later, used for the realization in semi-precious stones, still exists too.

Piano di gueridon, con composizione di vasi. Seconda metà del secolo XIX.

Accanto ai piani di tavolo di dimensioni maggiori, che non sempre trovavano acquirenti, l'Opificio produceva anche arredi meno ingombranti e costosi, ma sempre raffinati, come questo gueridon con piede e incorniciatura metallica. La formella ottagonale che ne costituisce il piano presenta una composizione di vasi di rarefatta eleganza, nelle forme come negli insoliti accordi cromatici. In particolare sono da ammirare le trascoloranti sfumature dell'unica lastra di calcedonio, che forma il corpo ovale del vaso al centro, e che varia dall'azzurro, al grigio perlaceo, al rosso aranciato. Erano necessarie le grandi riserve di pietre che l'Opificio conservava ancora dall'epoca medicea, e una grande disponibilità di tempo e di occhio per cercare e trovare tanta magia di colori.

Gueridon board, with vases composition. Second half of the 19th century.

The Opificio also manufactured less bulky and expensive pieces of furniture with the bigger table boards, which not always could find buyers, despite that those ones were always refined, like this gueridon having its foot and framing made of metal. The octagonal tile which constitutes its board shows a fine and elegant vase composition, both in its shapes and the unusual chromatic matching. In particular, it is worth admiring the colour changing shades of the only chalcedony slab, which forms the oval body of the central vase, whose colour fades from the light blue into a pearl grey, and orange red. For finding that sort of colour enchantment, the large stone supplies the Opificio still had got since the Medicean times were absolutely necessary, as well as a lot of time and artistical ability.

Piano di tavolo con emblema bacchico e fiori. 1874.

Table board with Bacchic emblem and flowers. 1874.

In questo piano di elegante forma ovale, è messa in campo una gamma variatissima di pietre, come il diaspro di Sicilia, il legno silicizzato, il lapislazzulo, i diaspri di Volterra e d'Alsazia, il calcedonio orientale e, naturalmente, il nero del Belgio del fondo, quasi immancabile nei tavoli del secondo Ottocento .Nel disegno dell'uva e dei pampini al centro, come pure nelle primaverili corolle del fregio di contorno, si riconosce lo stile decorativo del pittore e direttore della manifattura Niccolò Betti, che vede qui realizzato uno dei suoi ultimi lavori. Nel 1876 infatti l'ormai anziano direttore venne messo a riposo e sostituito dal giovane e promettente aiuto Edoardo Marchionni.

A so various range of stones is used for this elegant oval shaped board, such as the Sicilian jasper, the silicified wood, the lapis-lazuli, the jaspers from Volterra and Alsace, the oriental chalcedony and, of course, the Belgium black marble of the background, which nearly never missed to appear in the second half of the 19th century tables. In the drawing of grapes and vine-grapes set in the centre, as well as in the spring corollas of the edge decoration, we can recognize the decorative style of the painter Niccolò Betti, who was also the director of the workshop. This is considered one of his last works, since in 1876 the aged director retired and was substituted with the young and promising assistant Edoardo Marchionni.

Piano di tavolo con vassoio di fiori.1874.

In molti lavori di questi anni trova nuova valorizzazione il legno silicizzato, materiale proveniente dalle foreste fossili antiche di milioni di anni, e che era stato in precedenza usato soprattutto nei primi mosaici prodotti dalla manifattura, che amavano mettere in campo le "bizzarrie" della natura, dalle quali si sentiva specialmente attratta la cultura del Manierismo.
In questo piano dal profili elegantemente sagomati, il legno silicizzato forma una doppia cornice, che con le sue morbide screziature bruno-rosate fa risaltare le squillanti policromie del mazzo di fiori deposto al centro, su un vassoio la cui illusoria concavità è ottenuta grazie all'uso sapiente dei chiaroscuri naturali del calcedonio.

Table board showing a flower vase. 1874.

Silicified wood, a particular material coming from the fossilized million-year-old forests, finds a new sort of exploitation in many works of those years. It was previously used above all for the first mosaics produced by the manufacture, which were wanted to show the naturalistic "whimsicalities" the manneristic culture felt to be particularly attracted by.
The silicified wood forms a double frame-work in this elegantly outlined board and with its soft pink-brown variegations puts into evidence the brilliant polychromy of the flower bunch placed in the centre, on a tray whose illusionistic concavity had been got thanks to the skillful use of chalcedony's natural "chiaroscuri".

Piano di tavolo con coppa e composizioni di frutta. 1878.

Table board with cup and fruit composition. 1878.

I primi mosaici realizzati sotto la guida del nuovo direttore, il pittore Edoardo Marchionni, non si allontanano dallo stile del suo predecessore, Niccolò Betti: anche l'elegante assetto compositivo di questo piano ripropone, nella forma ottagonale e nelle profilature di legno silicizzato, un tavolo analogo eseguito nel 1863 per Costantino Nigra, lo statista piemontese che molto si era adoperato per la creazione del Regno d'Italia.

Di grande risalto decorativo, a confronto delle ciocche di frutta la cui esecuzione veniva spesso lasciata agli apprendisti, è la coppa centrale: qui lo splendore dorato e freddo del giallo calcedonio esalta i più caldi toni cromatici dei frutti, tra i quali il grappolo di uva nera ha la luminosità cupa e vibrante del quarzo ametistino.

The first mosaics made under the instruction of the new director, the painter Edoardo Marchionni, are not so different in style from those ones by his predecessor, Niccolo' Betti: even the elegant compositive arrangement of this board proposes again, with an octagonal shape and its silicified wooden edging, a similar table executed in 1863 for Costantino Nigra, the statesman from Piedmont who hardly worked for the constitution of the Italian Kingdom.

The central cup stands out in great relief because of its particular decoration, comparing that to the fruit group whose execution was often left to the apprentices: here, the splendour of the cold and golden chalcedony yellow exalts the warmer chromatic shades of the fruit, among which the bunch of black grapes has got the dim and trembling light of the amethyst quartz.

Piano di tavolo con imerocallis e convolvoli. 1880.

I lavori realizzati su modello di Edoardo Marchionni si caratterizzano per la nuova sottigliezza disegnativa che vi acquista il tema floreale, dove già si coglie il nuovo stile internazionale dell'Art Nouveau, come nel caso di questo piano avviene per le foglie sensualmente accartocciate o i capricciosi arzigogoli degli steli dei convolvoli. Contemporaneamente si semplifica, senza perdere per questo in qualità, anche la gamma cromatica delle pietre, che il Marchionni predilige nei toni smorzati e negli accordi insolitamente raffinati dei bianchi, verdi e azzurri.

Board table with imerocallis and convolvulus. 1880.

The works executed on the patterns by Edoardo Marchionni are characterized by the new subtleness of the drawing which earns the floreal theme, where it is already possible to pick out the new international style defined Art Nouveau, like in this board where the sensually twisted leaves or the capricious contriving stalks of the convolvulus. It is contemporarily simplified even the chromatic range of the stones, which not necessarily loses in quality, and that Marchionni prefers of tone-downed colours and in the slightly refined accordances of white, green and light blue.

Formella con fiore di magnolia e convolvoli. 1886 circa.

Accanto agli arredi più impegnativi, negli anni '70 e '80 dell'Ottocento l'Opificio si dedicò anche a oggetti di dimensioni e costi più ridotti, che avevano possibilità di essere più facilmente venduti. Appartiene a questo genere "minore" questa formella ovale, che fa parte di una serie di sei tutte di tema floreale, comunque raffinatissime nel disegno e nella scelta delle pietre. Specialmente affascinante è il fiore della magnolia, che ritorna come una specie di leit-motiv in molti mosaici disegnati dal Marchionni, dove sboccia dal ramo di diaspri di Sicilia, aprendo le sue foglie carnose, a cui il calcedonio dà una luce madreperlacea.

Tile with magnolia flower and convolvulus. About 1886.

Together with the more significant and important pieces of furniture, during the 70s and 80s of the 19th century, the Opificio dedicated itself even to cheaper and smaller creations, which could have the possibility to be more easily sold. This oval shaped tile belongs to that "minor" kind of art-works; it is part of a series of six single works all showing a floreal theme and, however, every-one of them appears so refined either because of its drawing or the stones choice. The magnolia flower is particularly charming; it recurs as a sort of "leit-motiv" in lots of mosaics Marchionni designed. Here, that flower blossoms from a branch made of Sicilian jasper, opening its fleshy leaves, to which the chalcedony gives a pearly special light.

Rose tee su graticcio di canne, campione per decorazione da parete. 1882.

Tea-roses on a reeds grating, pattern for wall decoration, 1882.

Nelle "sale di ostensione", dove nel secondo Ottocento l'Opificio esponeva i suoi lavori per la vendita al pubblico, clienti specialmente sofisticati e facoltosi potevano trovare anche una serie di campioni, per rivestire con mosaici fiorentini intere pareti, al posto delle ben più banali carte da parati. E certo sarebbe stato perfetto per uno dei "giardini d'inverno", allora di moda nelle residenze più lussuose, un rivestimento come questo, dove un luminoso tralcio di rose forma un intreccio squisito, sulla mobile opalescenza del fondo di alabastro orientale.

In the "ostention halls", where during the second half of the 19th century the Opificio showed its works to be sold to the public, some particularly sophisticated customers could also find a range of patterns to coat complete walls by Florentine mosaics, instead of using the more trivial wall-paper. This one would perfectly have been suitable to some "winter garden" all the fashion at that time in the most luxurious palaces. Infact, in such a coating, a rose-brier forms n exquisite inter-lacement on the trembling opalescence of the oriental alabaster background.

60

Cimabue, scultura a mosaico di pietre dure di Paolo Ricci. 1874.

Nell'ultimo e più difficile periodo della sua attività, l'Opificio cercò con ogni mezzo di mantenersi al livello della sua tradizione passata, riproponendo anche le sculture a mosaico di pietre dure, che erano state in voga nell'epoca barocca. Si specializzò in questo difficile genere di intaglio, all'epoca del direttore Marchionni, lo scultore Paolo Ricci, che offre una delle sue creazioni migliori in questa statuetta di Cimabue, che ottenne un premio all'Esposizione Universale di Vienna del 1874, alla quale l'Opificio non mancò di partecipare. Si tratta naturalmente di un ritratto di fantasia del celebre maestro di Giotto, qui raffigurato con l'abbigliamento di un elegante gentiluomo del Trecento, reso con le cromie eburnee e perlacee dei calcedoni.

Cimabue, mosaic sculpture executed with semi-precious stones by Paolo Ricci. 1874.

In the last and more difficult period of its activity, the Opificio tried with every mean to maintain itself on the same quality level of its past tradition, proposing again some mosaic sculptures with semi-precious stones, which had been all the fashion during the Baroque Age. The sculptor Paolo Ricci, when Marchionni was the director, specialized in that difficult sort of engraving art. That artist offers one of his best creations in this small statue representing Cimabue, which got a special prize at the Universal Exposition in Vien in 1874, the Opificio did not miss to take part in. That is, of course, an imaginative portrait of the famous Giotto's master, here portrayed wearing some elegant clothes of a gentleman living in the 14th century, realized by the ivory and pearly shades of colour of the chalcedony.

Vasetto con fiore sul coperchio. 1884.

Small vase with flower on the cap. 1884.

L'arte dell'intaglio, nei lavori di fine '800, non fu applicata solo ai rilievi e alle sculture, ma anche alla lavorazione dei vasi che godeva a sua volta di una tradizione antica. Nuovi sono però i modelli, a volte ispirati a quelli rinascimentali, ma più spesso all'arte orientale, cinese e soprattutto giapponese, che nell'Europa di fine secolo stava conquistando in più campi le arti figurative e decorative. Nel caso di questo vaso di minuscole e perfette proporzioni, anche le sfumature del calcedonio dei Grigioni nel quale è intagliato ricordano le tonalità trascoloranti di certe porcellane orientali.

The engraving art, in the late 19th century works, was applied not only to relief works and sculptures, but even to the manufacturing of vases, also having an ancient tradition. Anyhow, the patterns are new, sometimes inspired to the ones belonging to the Renaissance, but more often to the oriental art, Chinese and above all Japanese, which in the "Fin de Siècle" Europe was earning the public's favour in more than a field of decorative and figurative arts. Concerning this vase of tiny but perfect propor ions, the colour shades of the chalcedony from Grisons it is engraved in remind to the growing pale colour tones of some oriental porcelains.

Giardiniera da sala, in marmo e pietre dure. 1883.

Dopo una lavorazione durata parecchi anni, nel 1883 era ultimata e messa in vendita, per la cifra all'epoca esorbitante di 65.000 lire, una grande giardiniera da sala, destinata a restare invenduta. La zona inferiore di questo arredo monumentale è scolpita in marmo apuano, di una banalità che non è riscattata neppure dai preziosi inserti di lapislazzulo di Persia, ma il coronamento di pietre dure è un piccolo capolavoro di misura e raffinatezza. Realizzato in marmo nero del Belgio, incastona quattro formelle disegnate dal Marchionni, che abbinano temi floreali di impronta Liberty alla scena di una bambina in un giardino, dove la freschezza familiare della pittura macchiaiola si fonde felicemente con sottigliezze grafiche e di colore di gusto orientalizzante. A questo e in particolare all'arte cinese si rifanno anche i mascheroni angolari, intagliati da Paolo Ricci nel rosso vivido e senza macchia del diaspro di Cipro.

Hall "jardinière", in marble and semi-precious stones. 1883.

After many years of work, in 1883 a large hall "jardinière" was ultimated and put up for sale at the price, so exorbitant at that time, of 65,000 lira, which was destined to be unsold. The lower section of this monumental piece of furniture is sculpted in marble from Alpi Apuane and it results to be a bit banal, notwithstanding the precious insertions of lapis-lazuli from Persia; however, the semi-precious stones top is a real little masterpiece of measure and refiness. The latter is realized in Belgium black marble and it embodies four tiles drew by Marchionni, which combine Liberty floreal themes with the scene of a young girl in a garden, where the familiar freshness of the "Pittura Macchiaiola" melts with graphic and colour tenuity belonging to the oriental taste. The angular masks too, engraved by Paolo Ricci in the vivid unstained red of jasper from Cyprus, remind that.

Particolare di grande vaso a mosaico e rilievo di pietre dure. 1882-88.

Alto 140 centimetri, il vaso è ricavato in un blocco unico di marmo nero del Belgio, e nell'idea originaria avrebbe dovuto diventare ancora più monumentale, grazie ad un coronamento a corolla di foglie, che non fu mai eseguito. Su questo pezzo fuori del comune si erano concentrate l'inventiva e gli sforzi del direttore Marchionni, nel tentativo di dimostrare le possibilità crative che ancora l'antica manifattura era in grado di esprimere. Per la prima volta fu qui messo in opera un intarsio su superficie convessa, superandone brillantemente le difficoltà tecniche, e ad esso fu abbinato il rilievo, in modo che dal corpo sinuoso del vaso sboccino fiori di calle, grappoli d'uva, uccelli e perfino un serpente, con vitalità insieme sensuale e inquietante.
Ma il vaso rimase incompiuto: ormai questi spettacolari lavori, adatti a una società che l'Ottocento aveva visto tramontare, potevano vivere solo, come poi è stato, in un museo che faccia balenare alla nostra spicciativa modernità qualcosa dello splendore di quel mondo che fu.

Detail of a big vase executed with mosaic and relief work of semiprecious stones. 1882-88.

140 cm. high, the vase is got by an only black marble block from Belgium and according to the original design that would have had been even bigger, thanks to a crowning shaped like a leaves corolla, which was never made. The inventiveness and all the efforts of Marchionni were focused on this singular exemplar, trying to show the creating possibilities the ancient manufacture was still able to express. For the first time, an inlaid work on convex surface was elaborated, brilliantly winning the many technical difficulties, besides the relief work was coupled to it, in order to make the calla flowers really blossom and the vine-grapes, the birds and either a snake come out from the sinuous body of the vase, showing all their sensual and disquieting vitality. Unluckily, the vase was unfinished: those spectacular works, suitable to a society the 19th century had seen declining, could only live inside a museum which lets something of that past world live again in comparison with our hasty modernity, as it happened.

BIBLIOGRAFIA ESSENZIALE
BASILAR BIBLIOGRAPHY

A. Pampaloni Martelli, *Il Museo dell'Opificio delle Pietre Dure a Firenze,* Firenze 1975.

A. M. Giusti, P. Mazzoni, A. Pampaloni Martelli, *Il Museo dell'Opificio delle Pietre Dure a Firenze,* Milano 1978.

U. Baldini, A. M. Giusti, A. Pampaloni Martelli, *La Cappella dei Principi e le pietre dure a Firenze,* Milano 1979.

A. Gonzáles Palacios, *Mosaici e pietre dure*, Milano 1981, 2 voll.

F. Rossi, *La pittura di pietra*, Firenze 1984.

A. Gonzáles Palacios, *Il Tempio del Gusto: le Arti decorative in Italia fra classicismi e barocco. Il Granducato di Toscana e gli Stati settentrionali*, Milano 1968, 2 voll.

Splendori di pietre dure: L'Arte di corte nella Firenze dei Granduchi, catalogo della mostra, Firenze 1988.

A. M. Giusti, *Tesori di pietre dure: Palazzo Pitti, Uffizi e altri luoghi d'arte a Firenze,* Milano 1989.

A. M. Giusti, *Pietre Dure. L'arte europea del mosaico negli arredi e nelle decorazioni dal 1500 al 1800*, Torino 1992.

A. M. Giusti, *Guida al Museo dell'Opificio delle Pietre Dure,* Venezia 1995.

Finito di stampare nel settembre 1996 presso la Belforte Grafica per conto di

s i l l a b e

della Cooperativa Livorno: Nouvelles Frontières

Printed by Belforte Grafica in September 1996 on behalf of

s i l l a b e

of Cooperativa Livorno: Nouvelles Frontières